'사고력수학의 시작'

팡세

pensées

P1

7세 | 패턴

사고가 자라는 수학
씨우엠

사고력 수학을 묻고
팡세가 답해요

Q: 사고력 수학은 '왜' 해야 하나요?

사고력 수학은 아이에게 낯선 문제를 접하게 함으로써 여러 가지 문제 해결 방법을 아이 스스로 생각하게 하는 것에 목적이 있어요. 정석적인 한 가지 풀이법만 알고 있는 아이는 결국 중등 이후에 나오는 응용 문제에 대한 해결력이 현저히 떨어지게 되지요. 반면 사고력 수학을 통해 여러 가지 풀이법을 스스로 생각하고 알아낸 경험이 있는 아이들은 한 번 막히는 문제도 다른 방법으로 뚫어낼 힘이 생기게 된답니다. 이러한 힘을 기르는 데 있어 사고력 수학이 가장 크게 도움이 된다고 확신해요.

Q: 사고력 수학이 '필수'인가요?

No but Yes! 초등 수학에서 가장 필수적인 것은 교과와 연산이지요. 또 중등에서의 서술형 평가를 대비하기 위한 서술형 학습과 어려운 중등 도형을 헤쳐나가기 위한 도형 학습 정도를 추가하면 돼요. 사고력 수학은 그 다음으로 중요하다고 할 수 있어요. 다만 만약 중등 이후에도 상위권을 꾸준하게 유지하겠다고 하시면 사고력 수학은 필수랍니다.

Q: 사고력 수학, 꼭 '어려운' 문제를 풀어야 하나요?

No! 기존의 사고력 수학 교재가 어려운 이유는 영재교육원 입시 때문이었어요. 상위권 중에서도 더 잘하는 아이, 즉 영재를 골라내는 시험에 사고력수학 문제가 단골로 출제되었고, 이에 대비하기 위해 만들어진 것이 초창기 사고력 수학 교재이지요. 하지만 모든 아이들이 영재일 수는 없고, 또 그래야할 필요도 없어요. 사고력 수학으로 영재를 확실하게 선별할 수 있는 것도 아니에요. 따라서 사고력 수학의 원래 목적, 즉 새로운 문제를 풀 수 있는 능력만 기를 수 있다면 난이도는 중요하지 않답니다. 오히려 어려운 문제는 수학에 대한 아이들의 자신감을 떨어뜨리는 부작용이 있다는 점! 반드시 기억해야 해요.

Q: 사고력 수학 학습에서 어떤 점에 '유의'해야 할까요?

가장 중요한 것은 아이가 스스로 방법을 생각할 수 있는 시간을 충분히 주는 거예요. 엄마나 선생님이 옆에서 방법을 바로 알려주거나 해답지를 줘버리면 사고력 수학의 효과는 없는 거나 마찬가지랍니다. 설령 문제를 못 풀더라도 아이가 스스로 고민하는 습관을 가지고, 방법을 찾아가는 시간을 늘리는 것이 아이의 문제해결력과 집중력을 기르는 방법이라고 꼭 새기며 아이가 스스로 발전할 수 있는 가능성을 믿어 보세요.

또 하나 더 강조하고 싶은 것은 문제의 답을 모두 맞힐 필요가 없다는 거예요. 사고력 수학 문제를 백점 맞는다고 해서 바로 성적이 쑥쑥 오르는 것이 아니에요. 사고력 수학은 훗날 아이가 더 어려운 문제를 풀기 위한 수학적 힘을 기르는 과정으로 봐야 하는 거지요. 그러니 아이가 하나 맞히고 틀리는 것에 일희일비하지 말고 우리 아이가 문제를 어떤 방법으로 풀려고 했고, 왜 어려워 하는지 표현하게 하는 것이 훨씬 중요하답니다. 사고력 수학은 문제의 결과인 답보다 답을 찾아가는 과정 그 자체에 의미가 있다는 사실을 꼭! 꼭! 기억해 주세요.

팡세의 구성과 특징

1. 패턴, 퍼즐과 전략, 유추, 카운팅 - 새로운 시대에 맞는 새로운 사고력 영역!

2. 아이가 혼자서도 술술 풀어나가며 자신감을 기르기에 딱 좋은 난이도!

3. 하루 10분 1장만 풀어도 초등에서 꼭 키워야 하는 사고력을 쑥쑥!

일일 소주제 학습

하루에 10분씩 매일 1장씩만 꾸준히 풀면 돼.

주차별 확인학습

5일 동안 배운 것 중 가장 중요한 문제를 복습하는 거야!

월간 마무리 평가

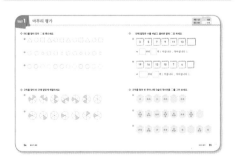

4주 동안 공부한 내용 중 어디가 부족한지 알 수 있다. 삐리삐리~

이 책의 차례

P1

pensées

마디 패턴

✏️ 마디를 찾아 모두 ◯로 묶으세요.

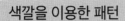

색깔을 이용한 패턴

마디   마디   마디

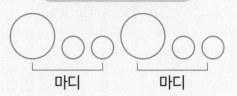

크기를 이용한 패턴

마디   마디

반복되는 부분을
마디라고 해.

❶

❷

❸

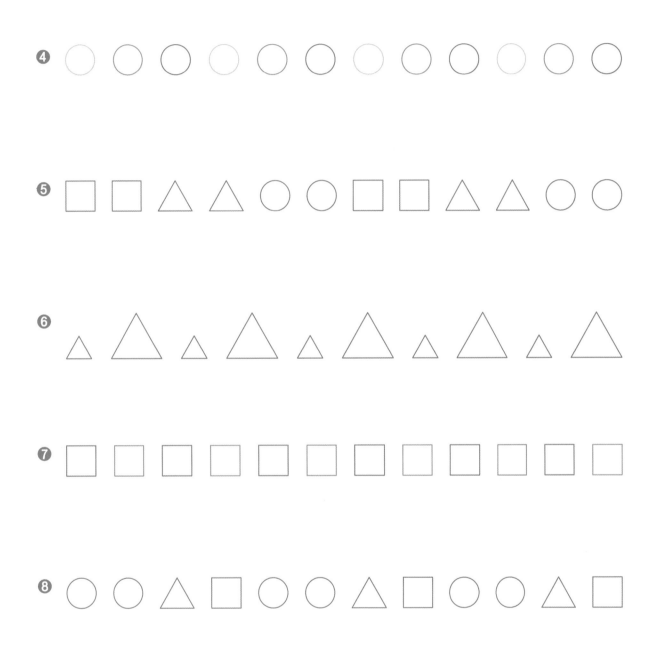

✏️ 규칙을 찾아 빈 곳에 알맞은 모양에 ◯표 하세요.

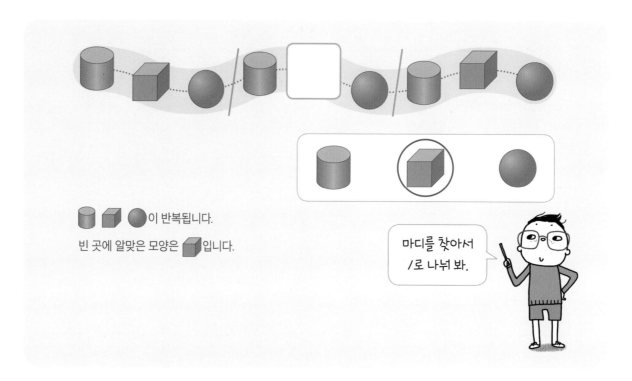

①

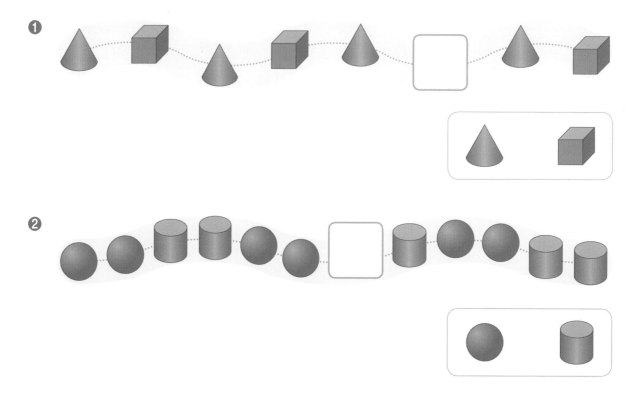

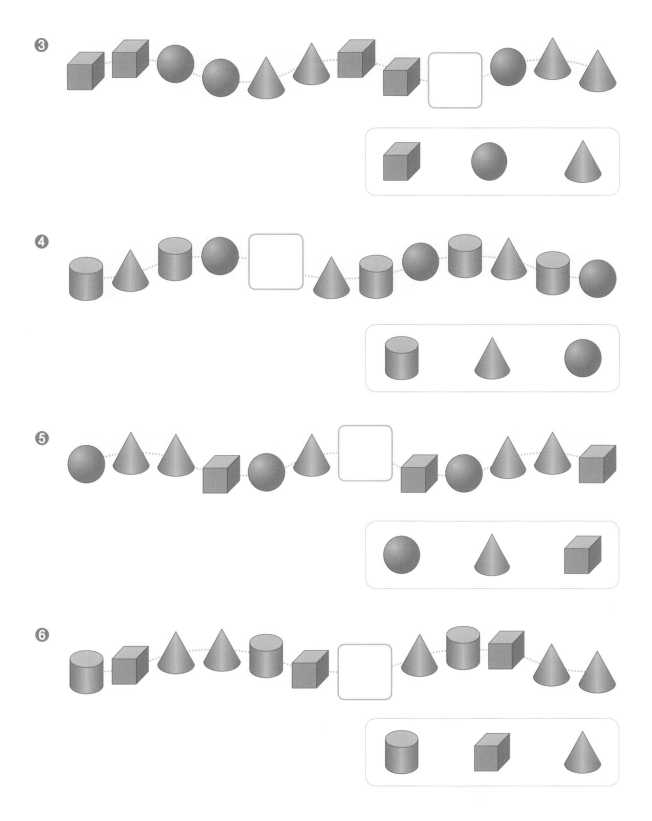

평면도형 패턴

✏️ 규칙을 찾아 빈 곳에 알맞은 모양을 그려 보세요.

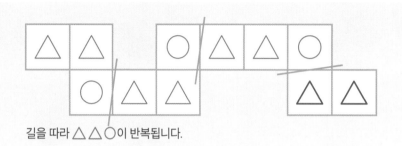

길을 따라 △△○이 반복됩니다.

길의 모양은 중요하지 않아.
마디를 찾아서 /로
나누는 것이 중요해.

❶

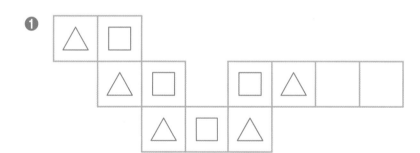

❷

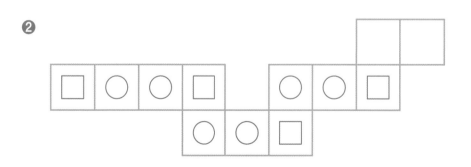

❸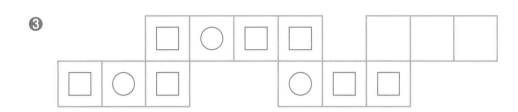

❹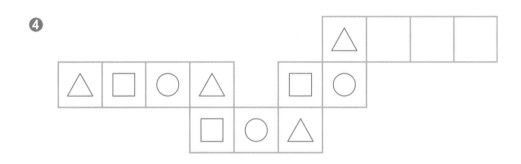

❺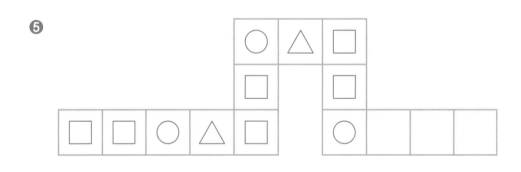

❻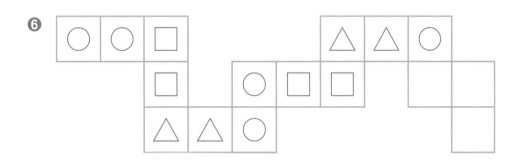

◆ 왼쪽 패턴에 이어서 올 수 있는 것을 찾아 선으로 이으세요.

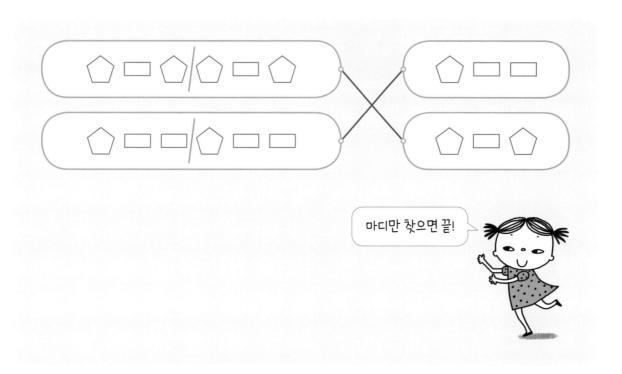

마디만 찾으면 끝!

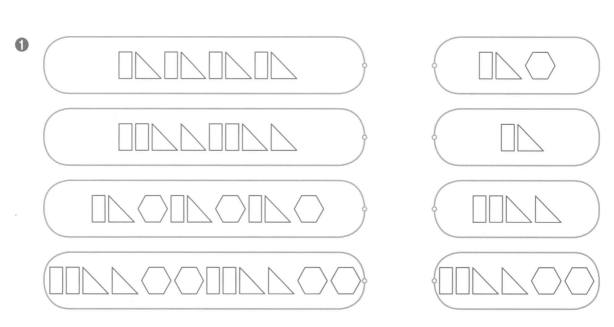

❷

❸
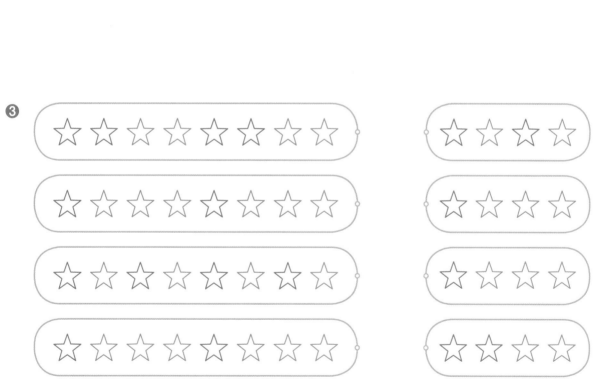

패턴 미로

주어진 마디로 이루어진 패턴을 따라 미로를 통과하세요.

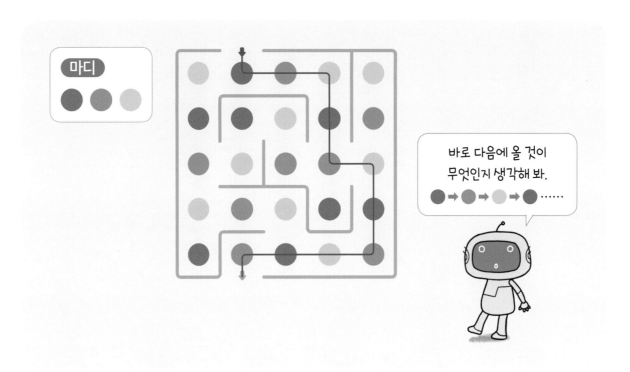

❶

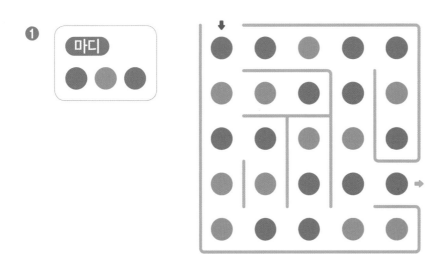

❷

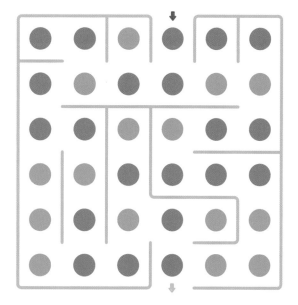

❸

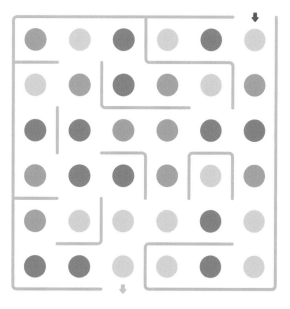

✏️ 왼쪽 패턴에 이어서 올 수 있는 것을 찾아 선으로 이으세요.

❶

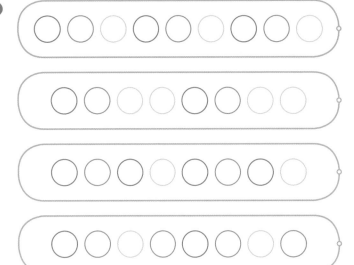

✏️ 주어진 마디로 이루어진 패턴을 따라 미로를 통과하세요.

❷

마디

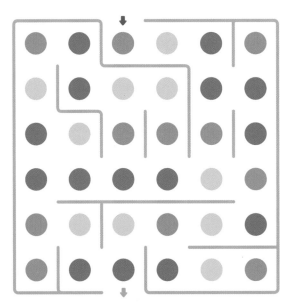

회전 이동 패턴

빙글빙글 패턴

✏️ 규칙을 찾아 빈 곳에 알맞게 그려 넣으세요.

↘만큼 회전합니다.

벌어진 부분의 위치가
어떻게 바뀌는지
생각해.

❶

❷
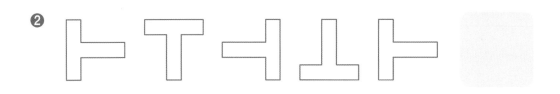

❸
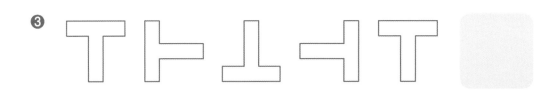

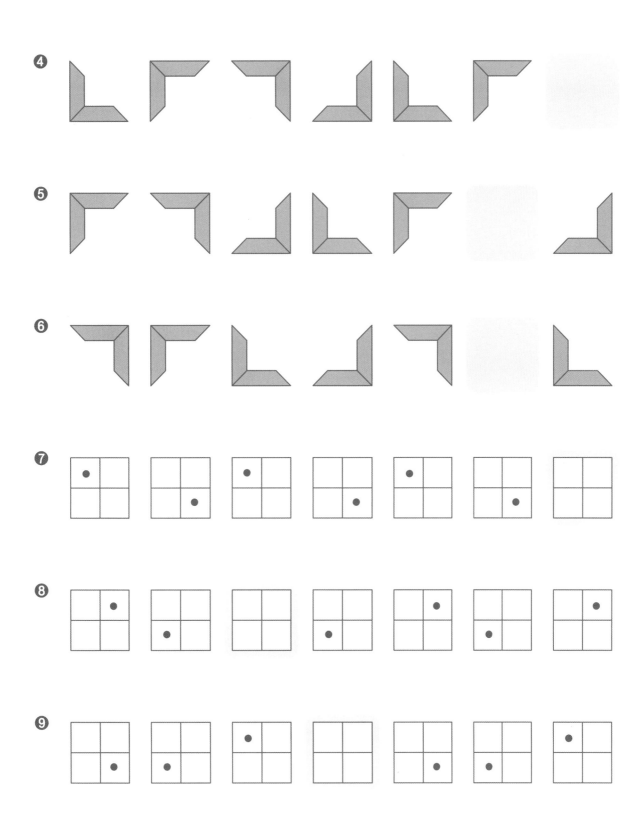

바코드 패턴

✏️ 규칙을 찾아 빈 곳에 알맞게 색칠하세요.

색칠된 칸이 한 칸씩 아래로 내려갑니다.

> 색칠된 칸이 어느 방향으로 몇 칸씩 움직이는지 알아봐.

❶

❷

❸

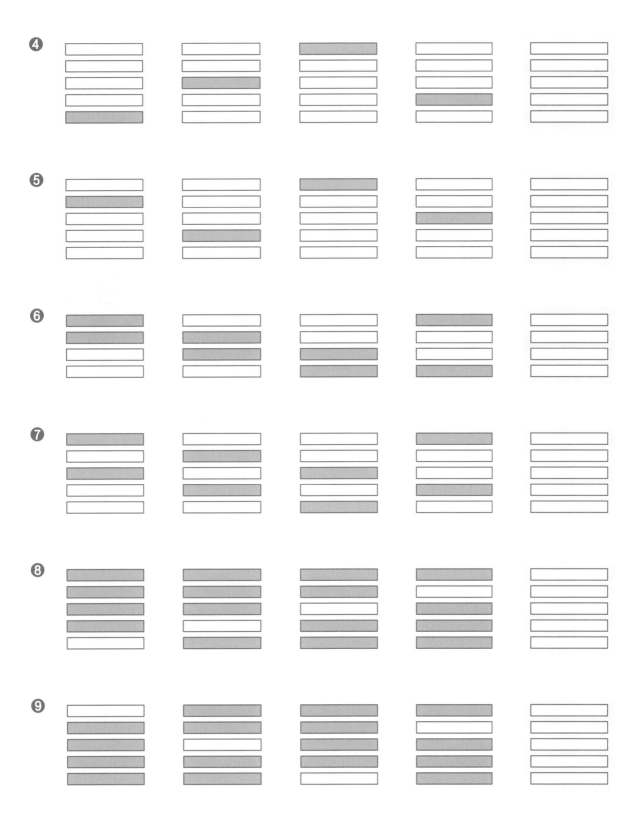

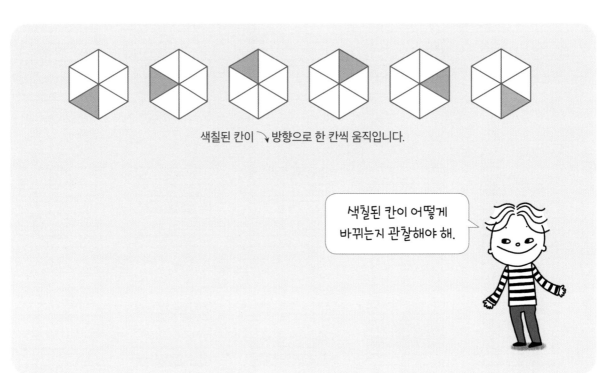

6칸 회전 패턴

✏️ 규칙을 찾아 빈 곳에 알맞게 색칠하세요.

색칠된 칸이 ↘ 방향으로 한 칸씩 움직입니다.

색칠된 칸이 어떻게
바뀌는지 관찰해야 해.

❶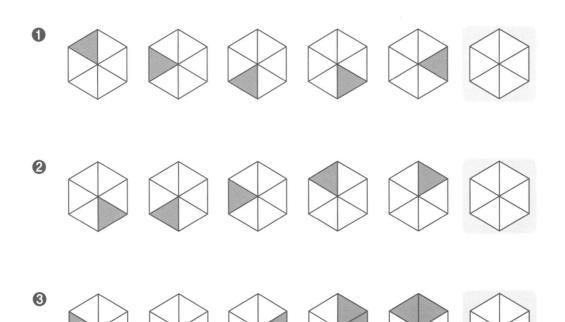

❷

❸

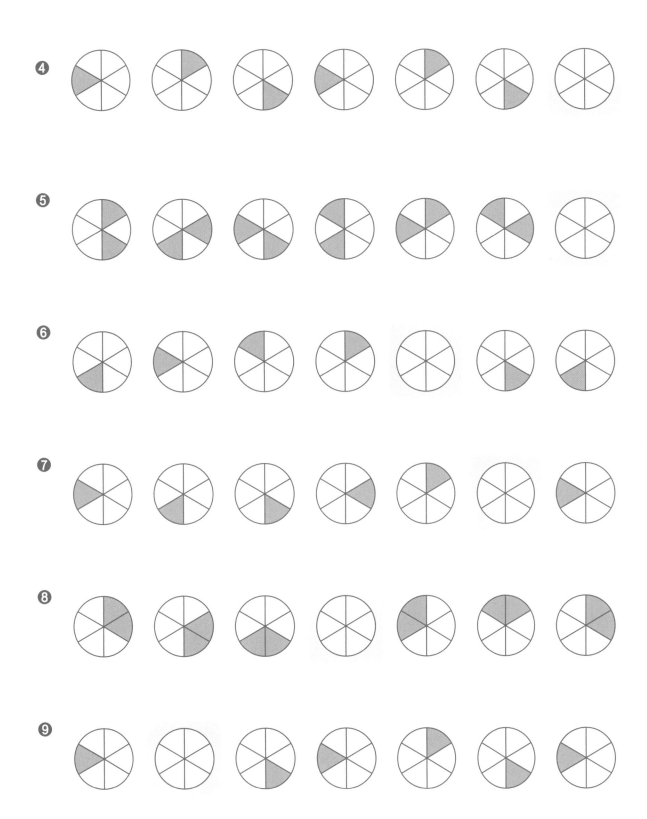

8칸 회전 패턴

✏️ 규칙을 찾아 빈 곳에 알맞게 색칠하세요.

색칠된 칸이 ↘ 방향으로 한 칸씩 움직입니다.

색칠된 칸이 어떻게 바뀌는지 생각해.

❶

❷

❸

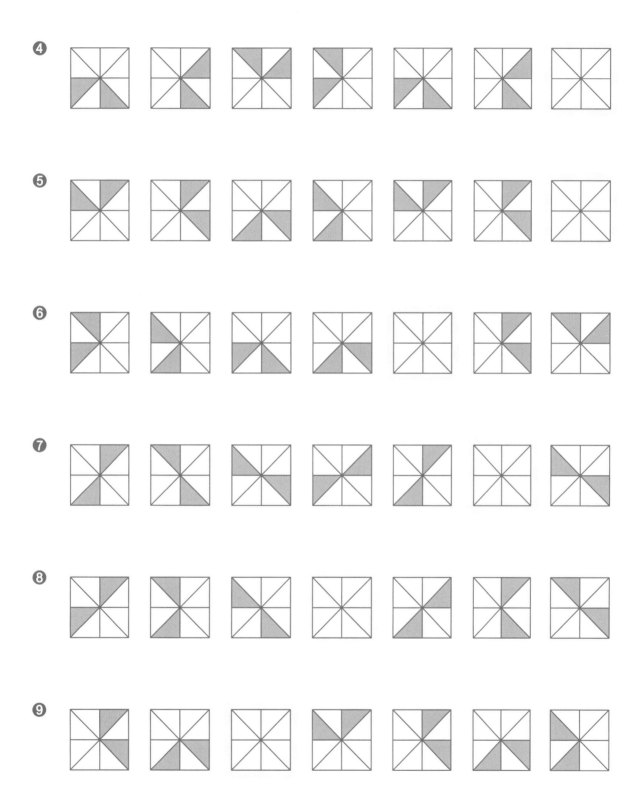

✏️ 규칙을 찾아 빈 시계에 알맞게 시곗바늘을 그려 보세요.

시계의 짧은바늘이 ↘ 방향으로 큰 눈금 1칸씩 움직입니다.

짧은바늘의 위치가 어떻게 바뀌는지 생각해.

❶

❷

❸

확인학습

✏️ 규칙을 찾아 빈 곳에 알맞게 색칠하세요.

❶

❷

❸

✏️ 규칙을 찾아 빈 시계에 알맞게 시곗바늘을 그려 보세요.

❹

❺

❻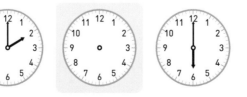

수열

✏️ 수열의 마디를 쓰고, 규칙에 맞게 ☐ 안에 알맞은 수를 쓰세요.

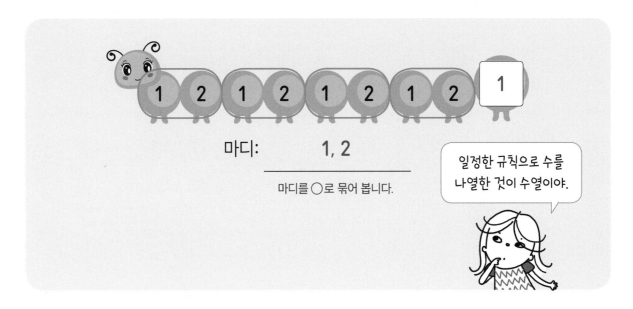

마디: ___1, 2___

마디를 ○로 묶어 봅니다.

일정한 규칙으로 수를 나열한 것이 수열이야.

①

마디: _____

②

마디: _____

③

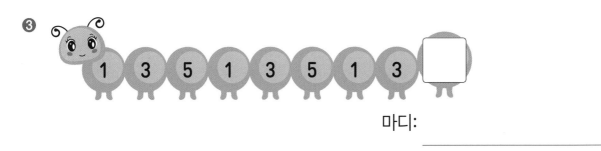

마디: _____

❹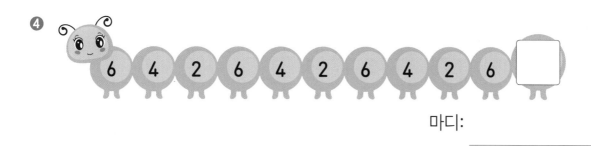

마디:
_____

❺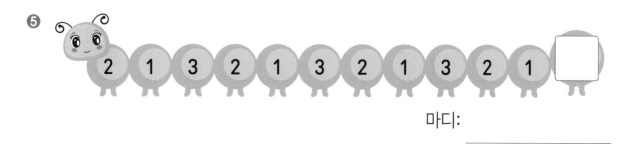

마디:
_____

❻

마디:
_____

❼

마디:
_____

❽

마디:
_____

커지거나 작아지는 수열 (1)

✏️ ☐ 안에 알맞은 수를 써넣고, 올바른 말에 ◯표 하세요.

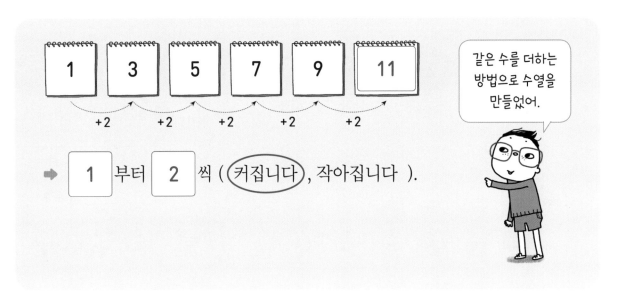

| 1 | 3 | 5 | 7 | 9 | 11 |

+2 +2 +2 +2 +2

➡️ 1 부터 2 씩 (⟨커집니다⟩ , 작아집니다).

말풍선: 같은 수를 더하는 방법으로 수열을 만들었어.

❶

| 2 | 3 | 4 | 5 | 6 | 7 | 8 | ☐ |

➡️ ☐ 부터 ☐ 씩 (커집니다 , 작아집니다).

❷

| 9 | 8 | 7 | 6 | 5 | 4 | ☐ |

➡️ ☐ 부터 ☐ 씩 (커집니다 , 작아집니다).

❸

| 2 | 4 | 6 | 8 | 10 | 12 | 14 | 16 | ☐ |

➡️ ☐ 부터 ☐ 씩 (커집니다 , 작아집니다).

④

| 20 | 19 | 18 | 17 | 16 | 15 | |

➡ ☐ 부터 ☐ 씩 (커집니다 , 작아집니다).

⑤

| 5 | 7 | 9 | 11 | 13 | 15 | |

➡ ☐ 부터 ☐ 씩 (커집니다 , 작아집니다).

⑥

| 14 | 12 | 10 | 8 | 6 | 4 | |

➡ ☐ 부터 ☐ 씩 (커집니다 , 작아집니다).

⑦

| 1 | 4 | 7 | 10 | 13 | 16 | |

➡ ☐ 부터 ☐ 씩 (커집니다 , 작아집니다).

⑧

| 20 | 17 | 14 | 11 | 8 | 5 | |

➡ ☐ 부터 ☐ 씩 (커집니다 , 작아집니다).

커지거나 작아지는 수열 (2)

✏️ ☐ 안에 알맞은 수를 써넣으세요.

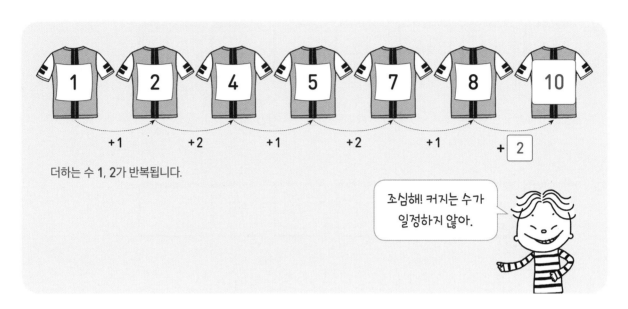

더하는 수 1, 2가 반복됩니다.

조심해! 커지는 수가 일정하지 않아.

❶

❷

❸

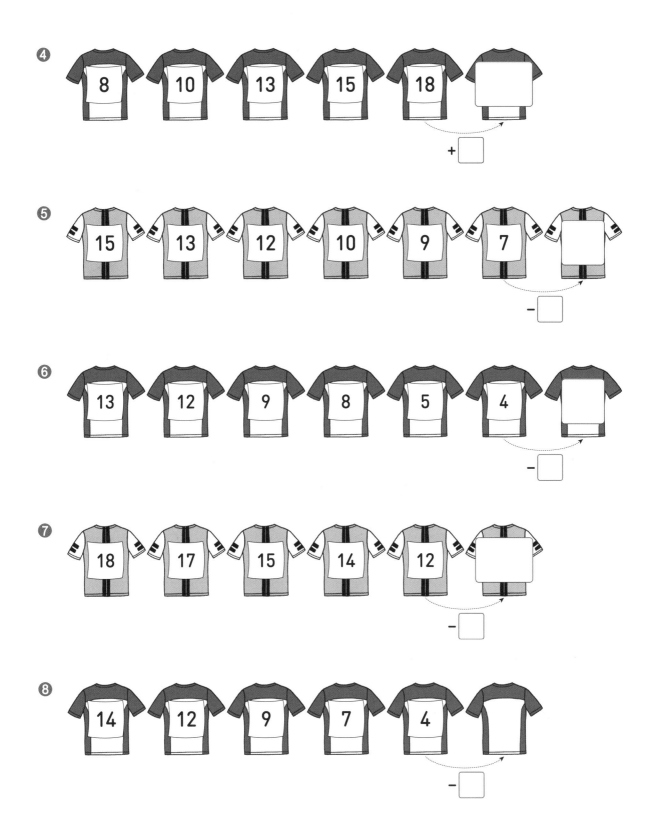

④ 8 10 13 15 18 □ +□

⑤ 15 13 12 10 9 7 □ −□

⑥ 13 12 9 8 5 4 □ −□

⑦ 18 17 15 14 12 □ −□

⑧ 14 12 9 7 4 □ −□

커지거나 작아지는 수열 (3)

✏️ 올바른 기호에 ◯표 하고, ☐ 안에 알맞은 수를 써넣으세요.

2 4 3 5 4 6 5

+2 −1 +2 −1 +2 (+ , ⊖) 1

+2, −1을 반복합니다.

복잡해 보이지만 규칙은 반드시 있으니 좀 더 생각해 봐.

①

1 4 3 6 5 8

(+ , −) ☐

②

5 8 6 9 7

(+ , −) ☐

③

10 | 11 | 9 | 10 | 8 | 9 |

(+ , −) ☐

④

7 | 9 | 6 | 8 | 5 |

(+ , −) ☐

⑤

5 | 3 | 4 | 2 | 3 | 1 |

(+ , −) ☐

⑥

14 | 11 | 13 | 10 | 12 |

(+ , −) ☐

⑦

12 | 11 | 14 | 13 | 16 |

(+ , −) ☐

여러 가지 수열

✏️ ☐ 안에 알맞은 수를 써넣으세요.

① 마디가 반복되는 수열

1 2 3 1 2 3 1 2 3

1, 2, 3이 반복됩니다.

② 일정하게 커지거나 작아지는 수열

1 3 5 7 9 11 13

1부터 2씩 커집니다.

③ 여러 가지 수열

1 3 2 4 3 5 4 6

1부터 시작하여 +2, −1을 반복합니다.

수열을 만드는 방법은 다양해.

❶ 3 6 3 6 3 ☐ 3 6 3 6

❷ 1 4 7 1 4 7 1 4 ☐ 1 4 7

❸ 8 4 2 1 8 4 2 1 8 ☐ 2 1

❹ 2   5   8   11   14   [ ]   20

❺ 16   14   12   [ ]   8   6   4

❻ 2   3   5   6   [ ]   9   11   12

❼ 15   14   11   10   7   [ ]   3   2

❽ 10   8   11   9   12   10   [ ]   11

❾ 3   6   5   8   [ ]   10   9   12

✏️ ☐ 안에 알맞은 수를 써넣으세요.

❶ 2   5   2   5   2   ☐   2   5   2   5

❷ 9   6   3   9   6   3   9   ☐   3   9   6   3

❸ 1   4   7   10   ☐   16   19

❹ 17   15   13   ☐   9   7   5

❺ 1   3   4   6   7   ☐   10   12   13

❻ 19   16   15   12   ☐   8   7   4   3

개수 규칙

개수 패턴

✏️ 규칙을 찾아 빈 주머니에 구슬의 개수만큼 ◯를 그려 보세요.

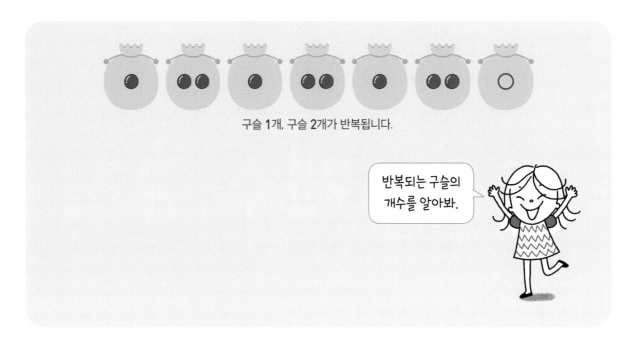

구슬 1개, 구슬 2개가 반복됩니다.

반복되는 구슬의 개수를 알아봐.

❶

❷

❸

④

⑤

⑥

⑦

⑧

⑨

✏️ 규칙을 찾아 다음에 올 모양을 그려 보세요.

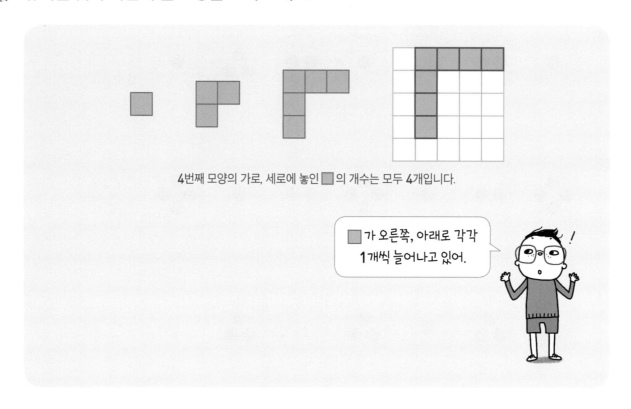

4번째 모양의 가로, 세로에 놓인 ⬜의 개수는 모두 **4**개입니다.

⬜가 오른쪽, 아래로 각각 **1**개씩 늘어나고 있어.

❶

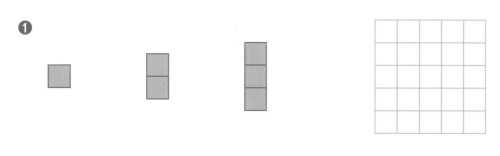

❷

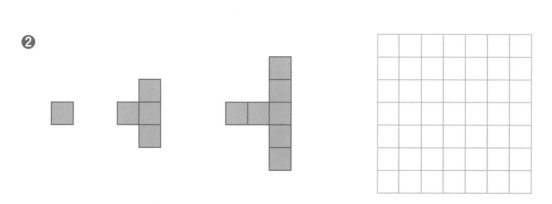

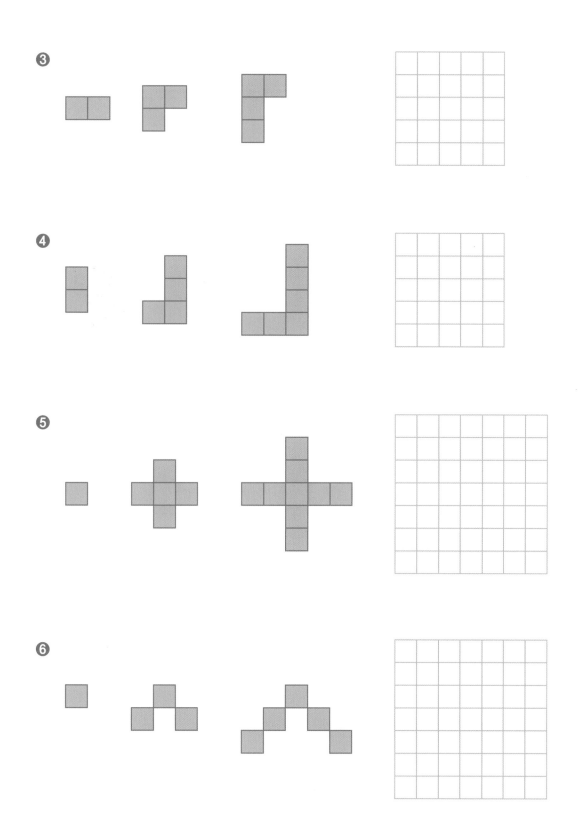

❸

❹

❺

❻

모양의 개수 규칙

✏️ 규칙을 찾아 ☐ 안에 알맞은 수를 써넣고, 올바른 말에 ○표 하세요.

➡️ ☐1☐ 개씩 ((늘어나는) , 줄어드는) 규칙입니다.

★이 놓인 위치는 중요한게 아니야. 개수만 생각해.

❶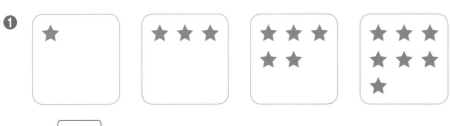

➡️ ☐ 개씩 (늘어나는 , 줄어드는) 규칙입니다.

❷

➡️ ☐ 개씩 (늘어나는 , 줄어드는) 규칙입니다.

❸

➡ ☐ 개씩 (늘어나는 , 줄어드는) 규칙입니다.

❹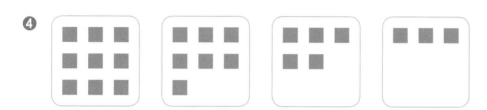

➡ ☐ 개씩 (늘어나는 , 줄어드는) 규칙입니다.

❺

➡ ☐ 개씩 (늘어나는 , 줄어드는) 규칙입니다.

❻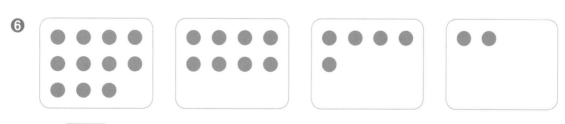

➡ ☐ 개씩 (늘어나는 , 줄어드는) 규칙입니다.

7번째 구슬의 개수

✏️ 규칙을 찾아 7번째 구슬의 개수를 구하세요.

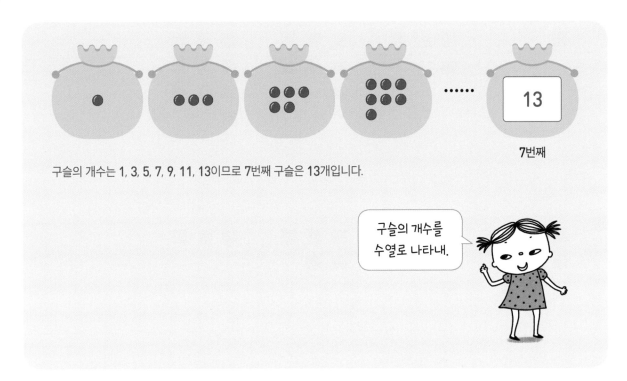

구슬의 개수는 1, 3, 5, 7, 9, 11, 13이므로 7번째 구슬은 13개입니다.

구슬의 개수를
수열로 나타내.

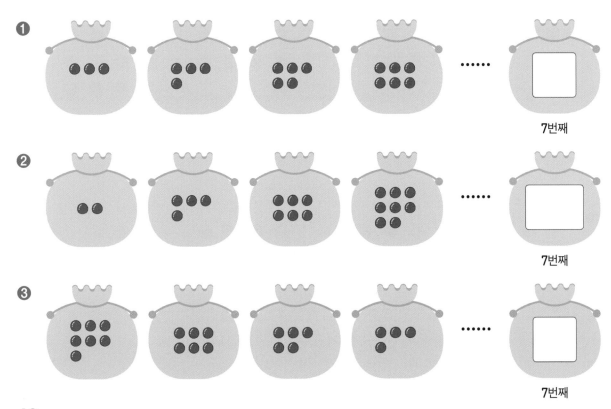

❶

7번째

❷

7번째

❸

7번째

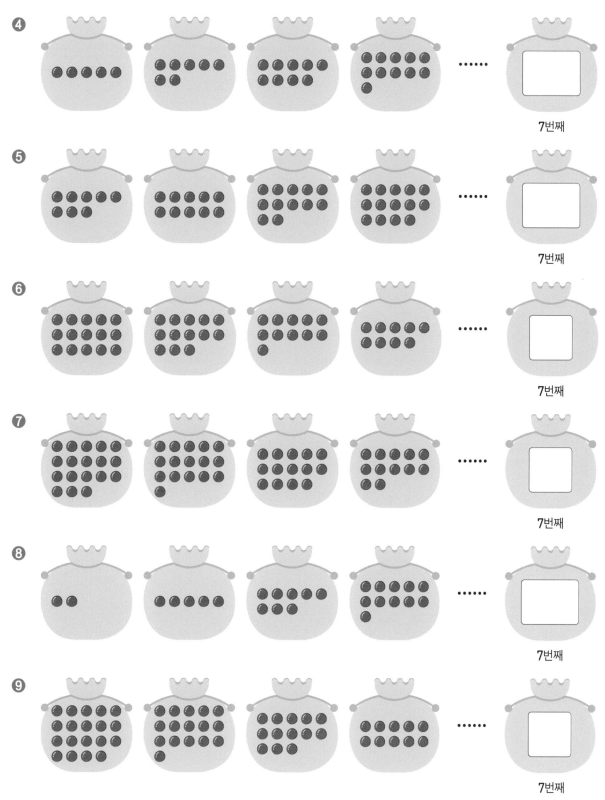

❹ 7번째

❺ 7번째

❻ 7번째

❼ 7번째

❽ 7번째

❾ 7번째

두 가지 모양

✏️ 규칙을 찾아 빈 곳에 알맞은 모양을 그려 보세요.

△는 1개씩 늘어나고, ○는 1개씩 줄어드는 규칙입니다.

모양이 놓인 위치는
생각하지 말고,
개수만 생각해.

❶

❷

❸

❹

❺

❻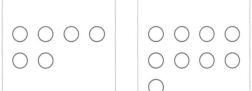

✏️ 규칙을 찾아 **7번째** 구슬의 개수를 구하세요.

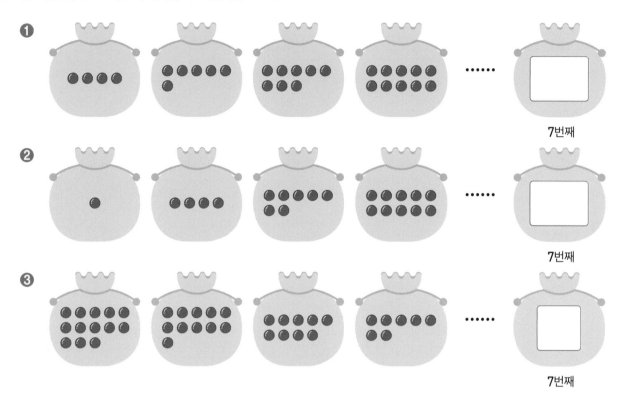

✏️ 규칙을 찾아 빈 곳에 알맞은 모양을 그려 보세요.

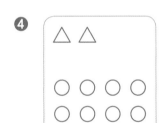 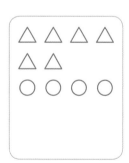 

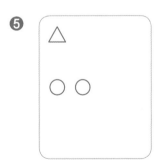 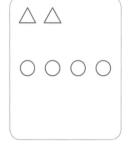 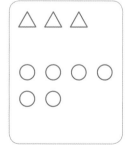 

마무리 평가

마무리 평가는 앞에서 공부한 4주차의 유형이 다음과 같은 순서로 나와요.
틀린 문제는 몇 주차인지 확인하여 반드시 다시 한 번 학습하도록 해요.

1주차	**3**주차
2주차	**4**주차

♣ 마디를 찾아 모두 ◯로 묶으세요.

❶

❷

❸

♣ 규칙을 찾아 빈 곳에 알맞게 색칠하세요.

❹

❺

✿ ☐ 안에 알맞은 수를 써넣고, 올바른 말에 ◯표 하세요.

⑥

➡ ☐ 부터 ☐ 씩 (커집니다 , 작아집니다).

⑦

➡ ☐ 부터 ☐ 씩 (커집니다 , 작아집니다).

✿ 규칙을 찾아 빈 주머니에 구슬의 개수만큼 ◯를 그려 보세요.

⑧

⑨

⑩

✤ 규칙을 찾아 빈 곳에 알맞은 모양에 ◯표 하세요.

❶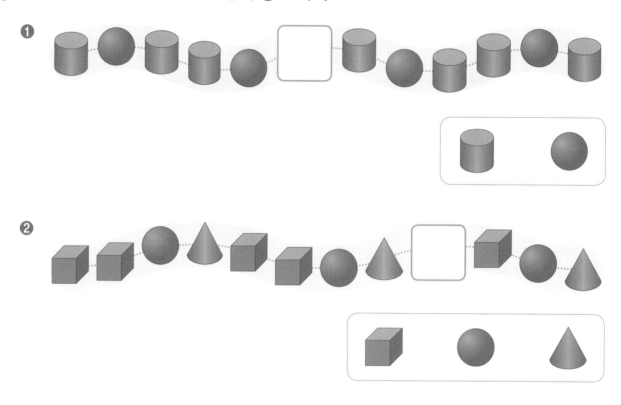

❷

✤ 규칙을 찾아 빈 곳에 알맞게 색칠하세요.

❸

❹

❺

❖ 수열의 마디를 쓰고, 규칙에 맞게 마지막 칸에 알맞은 수를 쓰세요.

❻

마디: _____

❼

마디: _____

❖ 규칙을 찾아 빈 곳에 알맞은 모양을 그려 보세요.

❽

❾

♣ 규칙을 찾아 빈 곳에 알맞은 모양을 그려 보세요.

❶

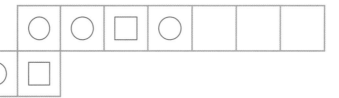

❷

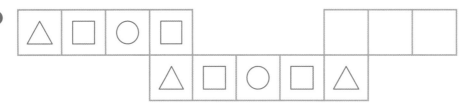

♣ 규칙을 찾아 빈 시계에 알맞게 시곗바늘을 그려 보세요.

❸

❹

❺

✿ ☐ 안에 알맞은 수를 써넣으세요.

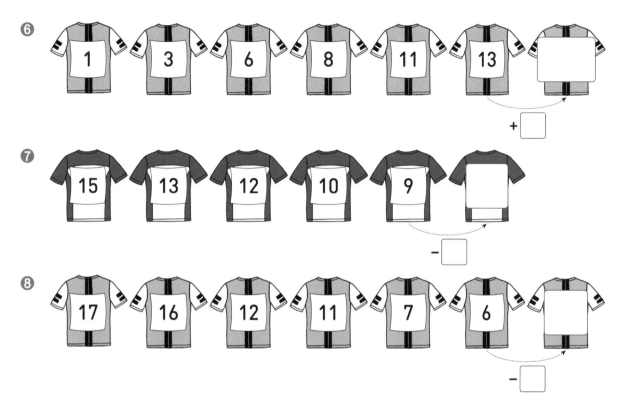

⑥ 1 3 6 8 11 13 ☐

  + ☐

⑦ 15 13 12 10 9 ☐

  − ☐

⑧ 17 16 12 11 7 6 ☐

  − ☐

✿ 규칙을 찾아 ☐ 안에 알맞은 수를 써넣고, 올바른 말에 ◯표 하세요.

⑨

  ➡ ☐ 개씩 (늘어나는 , 줄어드는) 규칙입니다.

⑩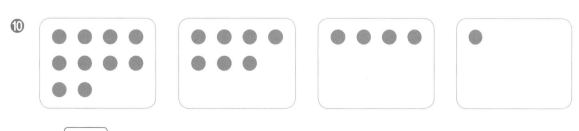

  ➡ ☐ 개씩 (늘어나는 , 줄어드는) 규칙입니다.

✿ 왼쪽 패턴에 이어서 올 수 있는 것을 찾아 선으로 이으세요.

❶ 　　○　

　　○　

　　○　

　　○　

✿ 규칙을 찾아 빈 곳에 알맞게 그려 넣으세요.

❷ 　　

❸ 　　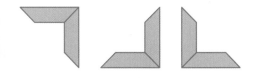

❹

✿ 올바른 기호에 ○표 하고, ☐ 안에 알맞은 수를 써넣으세요.

❺

(+ , −) ☐

❻

(+ , −) ☐

✿ 규칙을 찾아 다음에 올 모양을 그려 보세요.

❼

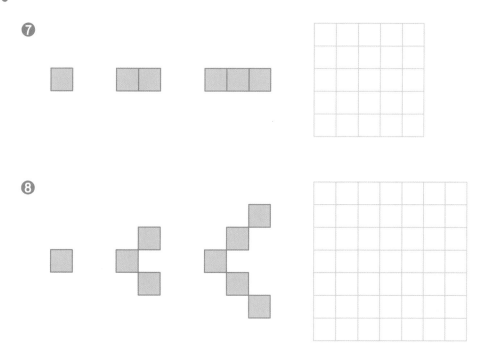

❽

✛ 주어진 마디로 이루어진 패턴을 따라 미로를 통과하세요.

❶

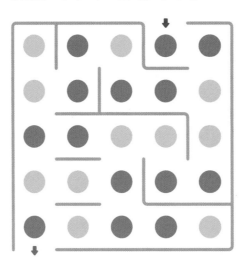

✛ 규칙을 찾아 빈 곳에 알맞게 색칠하세요.

❷

❸

❹

✿ ☐ 안에 알맞은 수를 써넣으세요.

⑤ 1   2   3   5   1   2   3   5   ☐   2   3   5

⑥ 20   18   16   ☐   12   10   8   6

⑦ 2   6   5   9   8   ☐   11   15   14

✿ 규칙을 찾아 7번째 구슬의 개수를 구하세요.

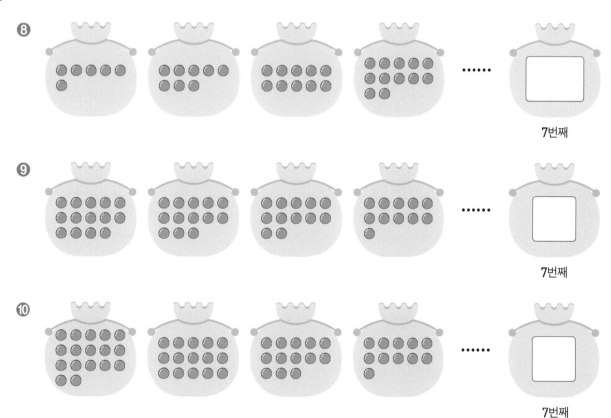

⑧ 7번째

⑨ 7번째

⑩ 7번째

pensées

‘사고력수학의 시작’

팡세

pensées

P1

정답과 풀이

사고가 자라는 수학
씨투엠

네이버 공식 지원 카페 필즈엠   씨투엠에듀 공식 인스타그램

'사고력수학의 시작'

과정

pensées

P1

정답과 풀이

1주차 마디 패턴

DAY 1

속성 패턴

✎. 마디를 찾아 모두 ◯로 묶으세요.

색깔을 이용한 패턴

마디 마디 마디

크기를 이용한 패턴

마디 마디

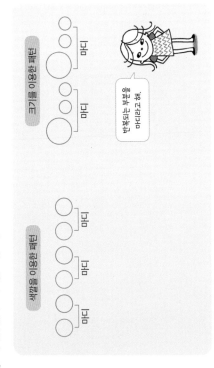

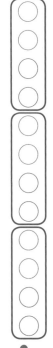

DAY 2

입체도형 패턴

✎ 규칙을 찾아 빈 곳에 알맞은 모양에 ○표 하세요.

규칙을 찾아나게.
마디를 찾아서.

● 이어지는 규칙입니다.

❷ 이어지는 규칙입니다.

입체 P1 패턴

❸

이어지는 규칙입니다.

❹

이어지는 규칙입니다.

❺

이어지는 규칙입니다.

❻

이어지는 규칙입니다.

1주_입체 패턴

pensées

1주차 마디 패턴

DAY 3

평면도형 패턴

✏ 규칙을 찾아 빈 곳에 알맞은 모양을 그려 보세요.

> 칸의 모양은 중요하지 않아. 마디를 찾아서 / 로 나누는 것이 중요해.

규칙 △△△○ 가 반복됩니다.

① 규칙 □△▽ 가 반복됩니다.

② 규칙 ○○○ 가 반복됩니다.

③ 규칙 □○ 가 반복됩니다.

④ 규칙 △□○△ 가 반복됩니다.

⑤ 규칙 ○△○△ 가 반복됩니다.

⑥ 규칙 □□△△○○ 가 반복됩니다.

DAY 4 패턴 잇기

✎ 왼쪽 패턴에 이어서 이을 수 있는 것을 찾아 선으로 이으세요.

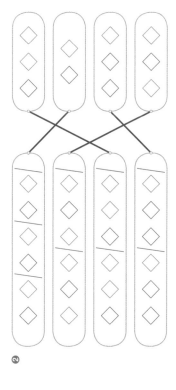

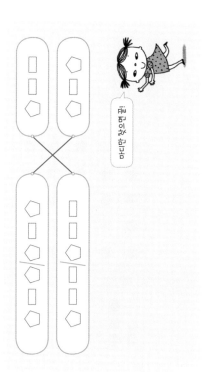

마디만 찾으면 끝!

1주차 마디 패턴

DAY 5   패턴 미로

주어진 마디로 이루어진 패턴을 따라 미로를 통과하세요.

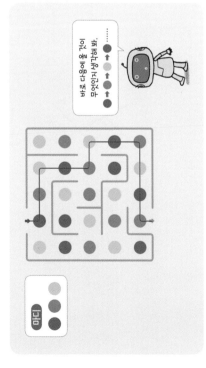

바로 다음에 올 것이
무엇인지 생각나면 이어.

마디

❶

마디

❷

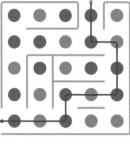

❸

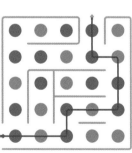

마디

확인학습

✏. 왼쪽 패턴에 이어서 올 수 있는 것을 찾아 선으로 이으세요.

❶

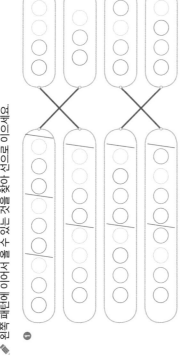

✏. 주어진 마디로 이루어진 패턴을 따라 미로를 통과하세요.

❷

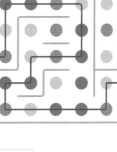

회전 이동 패턴

DAY 1

빙글빙글 패턴

✎ 규칙을 찾아 빈 곳에 알맞게 그려 넣으세요.

만큼 회전합니다.

벌어진 부분의 위치가 어떻게 바뀌는지 생각해.

①

만큼 회전합니다.

②

만큼 회전합니다.

③

만큼 회전합니다.

④

만큼 회전합니다.

⑤

만큼 회전합니다.

⑥

만큼 회전합니다.

⑦

●이 ＼방향(또는 ↗방향)으로 두 칸씩 움직입니다.

⑧

●이 ↘방향(또는 ↖방향)으로 두 칸씩 움직입니다.

⑨

●이 ↓방향으로 한 칸씩 움직입니다.

DAY 2

바둑돌 패턴

✎ 규칙을 찾아 빈 곳에 알맞게 색칠하세요.

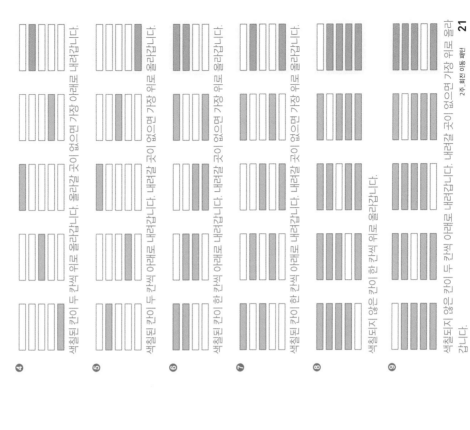

색칠된 칸이 한 칸씩 아래로 내려갑니다.

색칠된 칸이 어느 방향으로 몇 칸씩 움직이는지 알아봐.

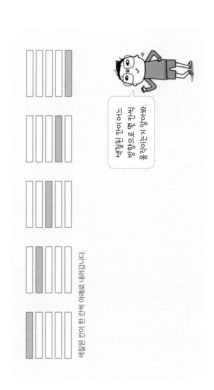

❶ 색칠된 칸이 한 칸씩 위로 올라갑니다.

❷ 색칠된 칸이 한 칸씩 아래로 내려갑니다.

❸ 색칠된 칸이 두 칸씩 아래로 내려갑니다. 내려갈 곳이 없으면 가장 위로 올라갑니다.

❹ 색칠된 칸이 두 칸씩 위로 올라갑니다. 올라갈 곳이 없으면 가장 아래로 내려갑니다.

❺ 색칠된 칸이 두 칸씩 아래로 내려갑니다. 내려갈 곳이 없으면 가장 위로 올라갑니다.

❻ 색칠된 칸이 한 칸씩 아래로 내려갑니다. 내려갈 곳이 없으면 가장 위로 올라갑니다.

❼ 색칠된 칸이 한 칸씩 아래로 내려갑니다. 내려갈 곳이 없으면 가장 위로 올라갑니다.

❽ 색칠되지 않은 칸이 한 칸씩 위로 올라갑니다.

❾ 색칠되지 않은 칸이 두 칸씩 아래로 내려갑니다. 내려갈 곳이 없으면 가장 위로 올라갑니다.

2주차 회전 이동 패턴

DAY 3

6칸 회전 패턴

규칙을 찾아 빈 곳에 알맞게 색칠하세요.

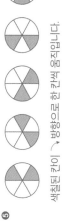

색칠된 칸이 ↘ 방향으로 한 칸씩 움직입니다.

색칠된 칸이 어떻게 바뀌는지 관찰해야 해.

①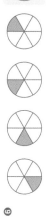
색칠된 칸이 ↗ 방향으로 한 칸씩 움직입니다.

②
색칠된 칸이 ↗ 방향으로 한 칸씩 움직입니다.

③
색칠된 칸이 ↙ 방향으로 한 칸씩 움직입니다.

22 팡세 P1_패턴

---

pensées

④
색칠된 칸이 ↘ 방향으로 두 칸씩 움직입니다.

⑤
색칠된 칸이 ↗ 방향으로 한 칸씩 움직입니다.

⑥
색칠된 칸이 ↘ 방향으로 한 칸씩 움직입니다.

⑦
색칠된 칸이 ↘ 방향으로 한 칸씩 움직입니다.

⑧
색칠된 칸이 ↘ 방향으로 한 칸씩 움직입니다.

⑨
색칠된 칸이 ↘ 방향으로 두 칸씩 움직입니다.

2주 회전 이동 패턴 23

DAY 4

8칸 회전 패턴

✎ 규칙을 찾아 빈 곳에 알맞게 색칠하세요.

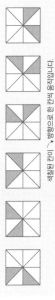

색칠된 칸이 ↘방향으로 한 칸씩 움직입니다.

색칠된 칸이 어느 방향으로 움직이는지 살펴봐요.

①
색칠된 칸이 ↗방향으로 한 칸씩 움직입니다.

② 색칠된 칸이 ↘방향으로 한 칸씩 움직입니다.

③ 색칠된 칸이 ↘방향으로 한 칸씩 움직입니다.

④ 색칠된 칸이 ↗방향으로 두 칸씩 움직입니다.

⑤ 색칠된 칸이 ↘방향으로 두 칸씩 움직입니다.

⑥ 색칠된 칸이 ↙방향으로 한 칸씩 움직입니다.

⑦ 색칠된 칸이 ↗방향으로 한 칸씩 움직입니다.

⑧ 색칠된 칸이 ↗방향으로 한 칸씩 움직입니다.

⑨ 색칠된 칸이 ↖방향으로 두 칸씩 움직입니다.

DAY 5

시계 패턴

규칙을 찾아 빈 시계에 알맞게 시계바늘을 그려 보세요.

시계 짧은바늘이 ▶ 방향으로 큰 눈금 1칸씩 움직입니다.

짧은바늘의 위치가 어찌가 어떻게 바뀌는지 생각해.

① 짧은바늘이 ▶ 방향으로 큰 눈금 1칸씩 움직입니다.

② 짧은바늘이 ▶ 방향으로 큰 눈금 2칸씩 움직입니다.

③ 짧은바늘이 ▶ 방향으로 큰 눈금 3칸씩 움직입니다.

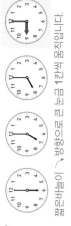

pensées

④ 짧은바늘이 ▶ 방향으로 큰 눈금 1칸씩 움직입니다.

⑤ 짧은바늘이 ▶ 방향으로 큰 눈금 3칸씩 움직입니다.

⑥ 짧은바늘이 ▶ 방향으로 큰 눈금 1칸씩 움직입니다.

⑦ 짧은바늘이 ▶ 방향으로 큰 눈금 2칸씩 움직입니다.

⑧ 짧은바늘이 ▶ 방향으로 큰 눈금 3칸씩 움직입니다.

⑨ 짧은바늘이 ▶ 방향으로 큰 눈금 2칸씩 움직입니다.

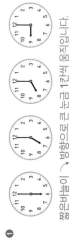

확인학습

✏️ 규칙을 찾아 빈 곳에 알맞게 색칠하세요.

❶

색칠된 칸이 ↘ 방향으로 한 칸씩 움직입니다.

❷

색칠된 칸이 ↘ 방향으로 한 칸씩 움직입니다.

❸

색칠된 칸이 ↘ 방향으로 두 칸씩 움직입니다.

✏️ 규칙을 찾아 빈 시계에 알맞게 시곗바늘을 그려 보세요.

❹

짧은바늘이 ↘ 방향으로 큰 눈금 1칸씩 움직입니다.

❺

짧은바늘이 ↘ 방향으로 큰 눈금 1칸씩 움직입니다.

❻

짧은바늘이 ↘ 방향으로 큰 눈금 2칸씩 움직입니다.

3주차

수열

DAY 1

마디 수열

수열의 마디를 쓰고, 규칙에 맞게 ☐ 안에 알맞은 수를 쓰세요.

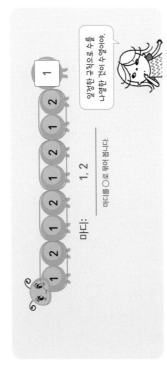

마디를 ○로 묶어 봅니다.

마디: 1, 2

일정한 규칙으로 수를 나열한 것이 수열이에요.

☐ 1

❶

마디: _____

1, 2, 3 ☐ 2

❷

마디: _____

2, 4 ☐ 4

❸

마디: _____

1, 3, 5 ☐ 5

---

pensées

❹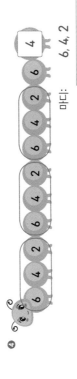

마디: _____

6, 4, 2 ☐ 4

❺

마디: _____

2, 1, 3 ☐ 3

❻

마디: _____

3, 6, 9, 12 ☐ 6

❼

마디: _____

7, 5, 3, 1 ☐ 3

❽

마디: _____

9, 7, 8, 6 ☐ 6

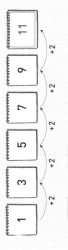

DAY 2

커지거나 작아지는 수열 (1)

✎ ☐ 안에 알맞은 수를 써넣고, 올바른 말에 ○표 하세요.

보기

1 +2 3 +2 5 +2 7 +2 9 +2 11

➡ 1 부터 2 씩 (**커집니다** , 작아집니다).

① 2 3 4 5 6 7 8 9

➡ 2 부터 1 씩 (**커집니다** , 작아집니다).

② 9 8 7 6 5 4 3

➡ 9 부터 1 씩 (커집니다 , **작아집니다**).

③ 2 4 6 8 10 12 14 16 18

➡ 2 부터 2 씩 (**커집니다** , 작아집니다).

④ 20 19 18 17 16 15 14

➡ 20 부터 1 씩 (커집니다 , **작아집니다**).

⑤ 5 7 9 11 13 15 17

➡ 5 부터 2 씩 (**커집니다** , 작아집니다).

⑥ 14 12 10 8 6 4 2

➡ 14 부터 2 씩 (커집니다 , **작아집니다**).

⑦ 1 4 7 10 13 16 19

➡ 1 부터 3 씩 (**커집니다** , 작아집니다).

⑧ 20 17 14 11 8 5 2

➡ 20 부터 3 씩 (커집니다 , **작아집니다**).

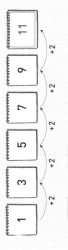

같은 수를 더하거나 같은 수를 주어서 만들었어.

3주차 수열

pensées

DAY 3

커지거나 작아지는 수열 (2)

🖊 □ 안에 알맞은 수를 써넣으세요.

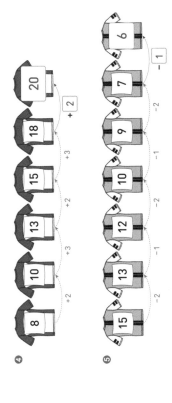

더하는 수 1, 2가 반복됩니다.

조금해 커지는 수가 일정하지 않아.

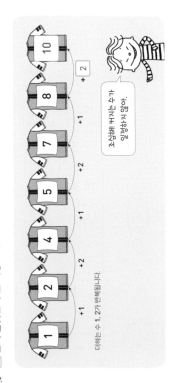

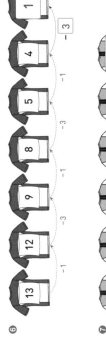

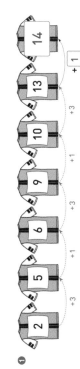

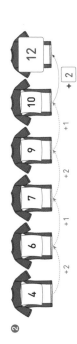

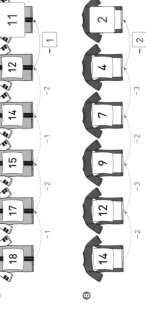

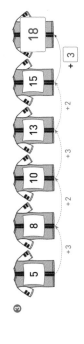

3주 수열   **35**

평세 P1 패턴   **34**

pensées

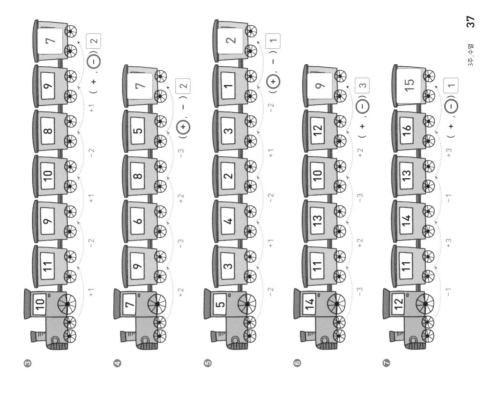

③ ④ ⑤ ⑥ ⑦

커지거나 작아지는 수열 (3)

✎ 올바른 기호에 ○표 하고, ☐ 안에 알맞은 수를 써넣으세요.

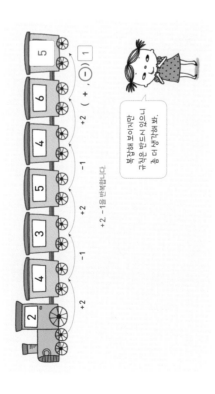

+2, -1을 반복합니다.

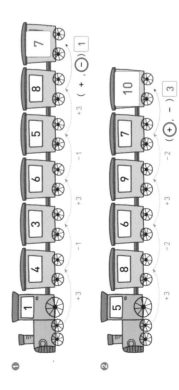

복잡해 보이지만 규칙은 반드시 있으니 좀 더 생각해 봐.

❶ ❷

DAY 5

여러 가지 수열

□ 안에 알맞은 수를 써넣으세요.

① 마디가 반복되는 수열

1　2　3　1　2　3　1　2　3

1, 2, 3이 반복됩니다.

② 일정하게 커지거나 작아지는 수열

1　3　5　7　9　11　13

1부터 2씩 커집니다.

③ 여러 가지 수열

1　2　4　3　5　4　6

1부터 시작하여 +2, -1을 반복합니다.

수열을 만드는 방법은 다양해.

❶ 3　6　3　6　3　[6]　3　6　3　6

3, 6이 반복됩니다.

❷ 1　4　7　1　4　7　1　4　[7]

1, 4, 7이 반복됩니다.

❸ 8　4　2　1　8　4　2　1　8　[4]　2　1

8, 4, 2, 1이 반복됩니다.

❹ 2　5　8　11　14　[17]　20

2부터 3씩 커집니다.

❺ 16　14　12　[10]　8　6　4

16부터 2씩 작아집니다.

❻ 2　3　5　6　[8]　9　11　12

더하는 수 1, 2가 반복됩니다.

❼ 15　14　11　10　7　[6]　3　2

빼는 수 1, 3이 반복됩니다.

❽ 10　8　11　9　12　10　[13]　11

-2, +3을 반복합니다.

❾ 3　6　5　8　[7]　10　9　12

+3, -1을 반복합니다.

확인학습

◆

☐ 안에 알맞은 수를 써넣으세요.

❶ 2 5 2 5 2 5 2 5

2, 5가 반복됩니다.

❷ 9 6 3 9 6 3 9 6 3

9, 6, 3이 반복됩니다.

❸ 1 4 7 10 13 16 19

1부터 3씩 커집니다.

❹ 17 15 13 11 9 7 5

17부터 2씩 작아집니다.

❺ 1 3 4 6 7 9 10 12 13

더하는 수 2, 1이 반복됩니다.

❻ 19 16 15 12 11 8 7 4 3

빼는 수 3, 1이 반복됩니다.

40 함께 P! 패턴

4주차 개수 규칙

DAY 1

개수 패턴

✏️ 규칙을 찾아 빈 주머니에 구슬의 개수만큼 ○를 그려 보세요.

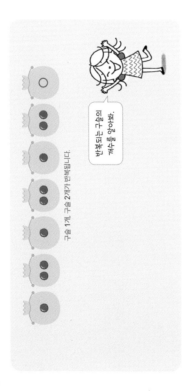

구슬 1개, 구슬 2개가 반복됩니다.

주머니 안에는 구슬의 개수를 ○로 알아봐요.

①

②

③

④

⑤

⑥

⑦

⑧

⑨

DAY 2

일정하게 커지는 모양

규칙을 찾아 다음에 올 모양을 그려 보세요.

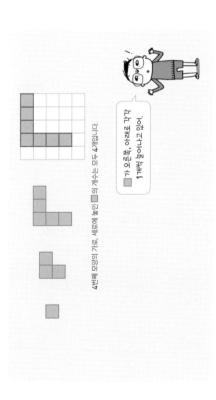

4번째 모양의 가로, 세로에 놓인 ■의 개수는 모두 4개입니다.

가로 오른쪽, 아래로 각각 1개씩 늘어나고 있어.

① 세로에 놓인 ■의 개수가 1개씩 많아집니다.

② 가로에 놓인 ■의 개수가 1개씩 많아지고, 세로에 놓인 ■의 개수가 2개씩 많아집니다.

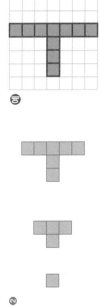

③ 세로에 놓인 ■의 개수가 1개씩 많아집니다.

④ 가로, 세로에 놓인 ■의 개수가 각각 1개씩 많아집니다.

⑤ 가로, 세로에 놓인 ■의 개수가 각각 2개씩 많아집니다.

⑥ ↗, ↘ 방향으로 놓인 ■의 개수가 각각 1개씩 많아집니다.

4주차 개수 규칙

DAY 3

모양의 개수 규칙

✏️ 규칙을 찾아 ☐ 안에 알맞은 수를 써넣고, 올바른 말에 ○표 하세요.

➡ **1** 개씩 ((늘어나는), 줄어드는) 규칙입니다.

> ★이 놓인 위치는 중요한게 아니야. 개수만 생각해.

❶
➡ **2** 개씩 ((늘어나는), 줄어드는) 규칙입니다.

❷
➡ **1** 개씩 (늘어나는, (줄어드는)) 규칙입니다.

③
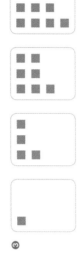

➡ **3** 개씩 ((늘어나는), 줄어드는) 규칙입니다.

④

➡ **2** 개씩 (늘어나는, (줄어드는)) 규칙입니다.

⑤
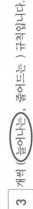

➡ **3** 개씩 ((늘어나는), 줄어드는) 규칙입니다.

⑥

➡ **3** 개씩 (늘어나는, (줄어드는)) 규칙입니다.

DAY 4

7번째 구슬의 개수

✍ 규칙을 찾아 7번째 구슬의 개수를 구하세요.

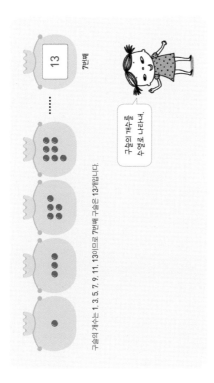

구슬의 개수를 수열로 나타내니.

구슬의 개수는 1, 3, 5, 7, 9, 11, 13이므로 7번째 구슬은 13개입니다.

| 13 / 7번째 |

① 구슬의 개수는 3, 4, 5, 6, 7, 8, 9이므로 7번째 구슬은 9개입니다. **9** / 7번째

② 구슬의 개수는 2, 4, 6, 8, 10, 12, 14이므로 7번째 구슬은 14개입니다. **14** / 7번째

③ 구슬의 개수는 7, 6, 5, 4, 3, 2, 1이므로 7번째 구슬은 1개입니다. **1** / 7번째

48 팡세 P1_패턴

④ 구슬의 개수는 5, 7, 9, 11, 13, 15, 17이므로 7번째 구슬은 17개입니다. **17** / 7번째

⑤ 구슬의 개수는 8, 10, 12, 14, 16, 18, 20이므로 7번째 구슬은 20개입니다. **20** / 7번째

⑥ 구슬의 개수는 15, 13, 11, 9, 7, 5, 3이므로 7번째 구슬은 3개입니다. **3** / 7번째

⑦ 구슬의 개수는 18, 16, 14, 12, 10, 8, 6이므로 7번째 구슬은 6개입니다. **6** / 7번째

⑧ 구슬의 개수는 2, 5, 8, 11, 14, 17, 20이므로 7번째 구슬은 20개입니다. **20** / 7번째

⑨ 구슬의 개수는 19, 16, 13, 10, 7, 4, 1이므로 7번째 구슬은 1개입니다. **1** / 7번째

49 4주_개수 규칙

pensées

4주차 개수 규칙

두 가지 모양

✎ 규칙을 찾아 빈 곳에 알맞은 모양을 그려 보세요.

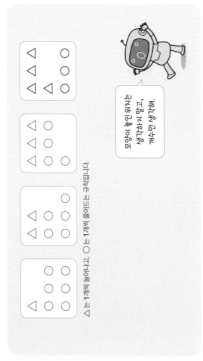

모양이 놓인 자리는 생각하지 말고, 개수만 생각하세요.

△는 1개씩 늘어나고, ○는 1개씩 줄어드는 규칙입니다.

① △는 2개씩 늘어나고, ○는 1개씩 늘어나는 규칙입니다.

② △는 1개씩 늘어나고, ○는 2개씩 늘어나는 규칙입니다.

③ △는 1개씩 늘어나고, ○는 1개씩 늘어나는 규칙입니다.

④ △는 1개씩 줄어들고, ○는 2개씩 늘어나는 규칙입니다.

⑤ △는 3개씩 늘어나고, ○는 3개씩 줄어드는 규칙입니다.

⑥ △는 1개씩 늘어나고, ○는 3개씩 줄어드는 규칙입니다.

확인학습

✏️ 규칙을 찾아 7번째 구슬의 개수를 구하세요.

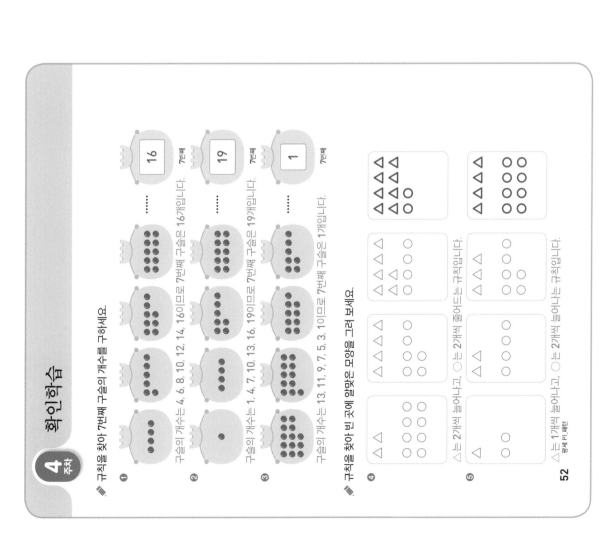

① 구슬의 개수는 4, 6, 8, 10, 12, 14, 16이므로 7번째 구슬은 16개입니다.

② 구슬의 개수는 1, 4, 7, 10, 13, 16, 19이므로 7번째 구슬은 19개입니다.

③ 구슬의 개수는 13, 11, 9, 7, 5, 3, 1이므로 7번째 구슬은 1개입니다.

✏️ 규칙을 찾아 빈 곳에 알맞은 모양을 그려 보세요.

④ △는 2개씩 늘어나고, ○는 2개씩 줄어드는 규칙입니다.

⑤ △는 1개씩 늘어나고, ○는 2개씩 늘어나는 규칙입니다.

영재 P1 패턴

마무리 평가

TEST 1

마무리 평가

❖ 마디를 찾아 모두 ○로 묶으세요.

① ○ △ □ △ ○ △ □ △ ○ △ □ △

② ○ ○ ○ ○ ○ ○ ○ ○ ○ ○

③ ○ ○ ○ ○ ○ ○ ○ ○ ○ ○

❖ 규칙을 찾아 빈 곳에 알맞게 색칠하세요.

④

⑤ 색칠된 칸이 ↘ 방향으로 한 칸씩 움직입니다.

색칠된 칸이 ↗ 방향으로 두 칸씩 움직입니다.

❖ □ 안에 알맞은 수를 써넣고, 올바른 말에 ○표 하세요.

⑥ 3 5 7 9 11 13 15

3 부터 2 씩 (커집니다 , 작아집니다).

⑦ 19 16 13 10 7 4 1

19 부터 3 씩 (커집니다 , (작아집니다)).

❖ 규칙을 찾아 빈 주머니에 구슬의 개수만큼 ○를 그려 보세요.

⑧

⑨

⑩

제한 시간 15분
맞은 개수 / 10개
pensées

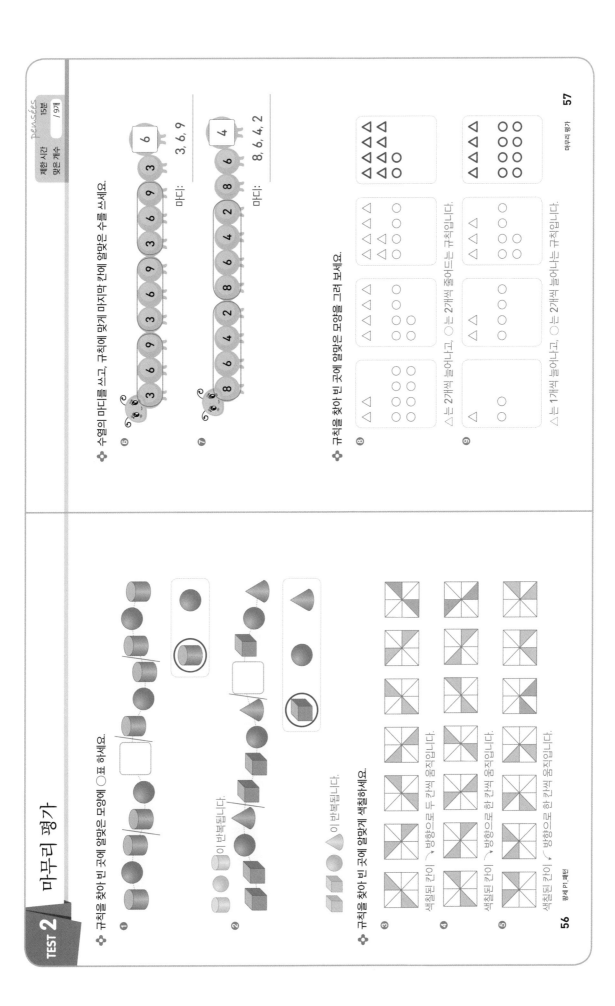

TEST 2

마무리 평가

❖ 규칙을 찾아 빈 곳에 알맞은 모양에 ◯표 하세요.

➊

➋ 이 반복됩니다.

이 반복됩니다.

❖ 규칙을 찾아 빈 곳에 알맞게 색칠하세요.

➌

➍ 색칠된 칸이 ↘ 방향으로 두 칸씩 움직이는 규칙입니다.

➎ 색칠된 칸이 ↗ 방향으로 한 칸씩 움직이는 규칙입니다.

색칠된 칸이 ↗ 방향으로 한 칸씩 움직이는 규칙입니다.

❖ 수열의 마디를 쓰고, 규칙에 맞게 마지막 칸에 알맞은 수를 쓰세요.

➏

6

마디: 3, 6, 9

➐

4

마디: 8, 6, 4, 2

❖ 규칙을 찾아 빈 곳에 알맞은 모양을 그려 보세요.

➑ △는 2개씩 늘어나고, ◯는 2개씩 줄어드는 규칙입니다.

➒ △는 1개씩 늘어나고, ◯는 2개씩 늘어나는 규칙입니다.

TEST 3

마무리 평가

제한 시간 15분
맞은 개수 / 10개
pensées

❖ 규칙을 찾아 빈 곳에 알맞은 모양을 그려 보세요.

❶

□○○○이 반복됩니다.

△□○이 반복됩니다.

❷

❖ 규칙을 찾아 빈 시계에 알맞게 시곗바늘을 그려 보세요.

❸ 짧은바늘이 ↘방향으로 큰 눈금 1칸씩 움직입니다.

❹ 짧은바늘이 ↘방향으로 큰 눈금 2칸씩 움직입니다.

❺ 짧은바늘이 ↘방향으로 큰 눈금 3칸씩 움직입니다.

❖ □ 안에 알맞은 수를 써넣으세요.

❻ 1 +2 3 +3 6 +2 8 +3 11 +2 13 +3 16

❼ 15 -2 13 -1 12 -2 10 -1 9 -2 7

❽ 17 -1 16 -4 12 -1 11 -4 7 -1 6 -4 2

❖ 규칙을 찾아 □ 안에 알맞은 수를 써넣고, 올바른 말에 ○표 하세요.

❾

★
★

★
★
★

★ ★
★ ★ ★
★ ★

★ ★
★ ★ ★
★ ★ ★ ★

→ 2 개씩 (늘어나는 , 줄어드는) 규칙입니다.

❿

● ● ● ●
● ● ●

● ● ●
● ● ●

● ● ●
● ● ●
● ● ●

●

→ 3 개씩 (늘어나는 , 줄어드는) 규칙입니다.

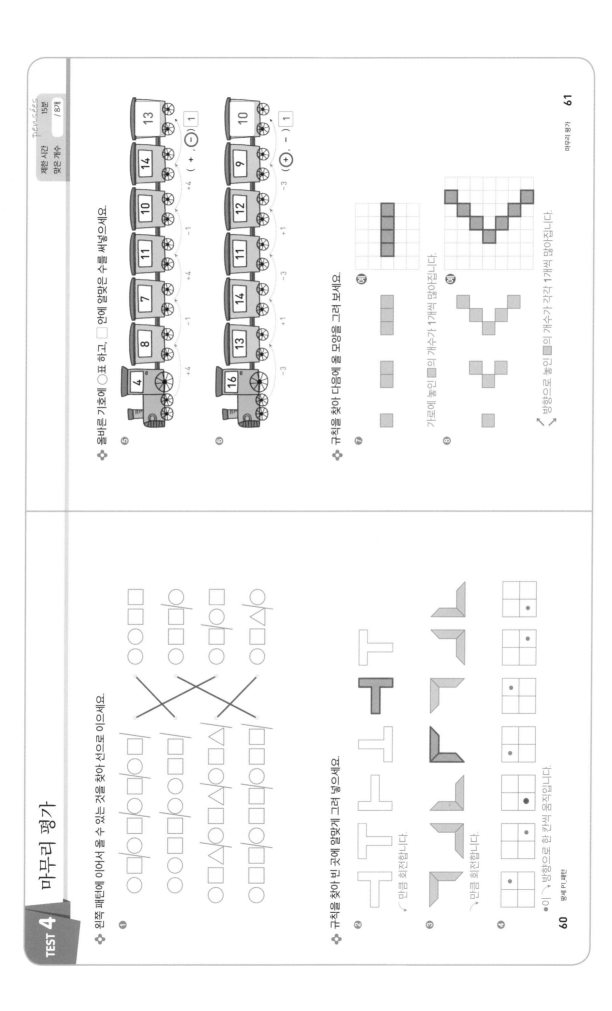

TEST 4

마무리 평가

❖ 왼쪽 패턴에 이어서 올 수 있는 것을 찾아 선으로 이으세요.

❶

❖ 규칙을 찾아 빈 곳에 알맞게 그려 넣으세요.

❷ 만큼 회전합니다.

❸ 만큼 회전합니다.

❹ ●이 ↖ 방향으로 한 칸씩 움직입니다.

60   평면 P1 패턴

❖ 올바른 기차에 ○표 하고, □ 안에 알맞은 수를 써넣으세요.

❺
+4 +4 −1 +4 +4 −1 (+ , −)
4 8 7 11 10 14 13 1

❻
−3 +1 +1 −3 −3 +1 (+ , −)
16 13 14 11 12 9 10 1

❖ 규칙을 찾아 다음에 올 모양을 그려 보세요.

❼

예

❽

예

가로에 놓인 ■의 개수가 1개씩 많아집니다.

↙ ↗ 방향으로 놓인 ■의 개수가 가로 1개씩 많아집니다.

마무리 평가   61

마무리 평가

TEST 5

마무리 평가

❖ 주어진 마디로 이루어진 패턴을 따라 미로를 통과하세요.

①

마디

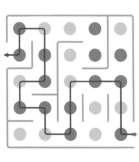

❖ 규칙을 찾아 빈 곳에 알맞게 색칠하세요.

② 색칠된 칸이 두 칸씩 위로 올라갑니다. 올라갈 곳이 없으면 가장 아래로 내려갑니다.

③ 색칠된 칸이 한 칸씩 위로 올라갑니다. 올라갈 곳이 없으면 가장 아래로 내려갑니다.

④ 색칠된 칸이 한 칸씩 아래로 내려갑니다. 내려갈 곳이 없으면 가장 위로 올라갑니다.

---

pensées
제한 시간　15분
맞은 개수　/10개

❖ ☐ 안에 알맞은 수를 써넣으세요.

⑤ 1 2 3 5 1 2 3 5 ☐1☐ 2 3 5

1, 2, 3, 5가 반복됩니다.

⑥ 20 18 16 ☐14☐ 12 10 8 6

20부터 2씩 작아집니다.

⑦ 2 6 5 9 8 ☐12☐ 11 15 14

+4, −1을 반복합니다.

❖ 규칙을 찾아 7번째 구슬의 개수를 구하세요.

⑧    ⋯ 18 7번째

구슬의 개수는 6, 8, 10, 12, 14, 16, 18이므로 7번째 구슬은 18개입니다.

⑨  ⋯ 8 7번째

구슬의 개수는 14, 13, 12, 11, 10, 9, 8이므로 7번째 구슬은 8개입니다.

⑩   ⋯ 5 7번째

구슬의 개수는 17, 15, 13, 11, 9, 7, 5이므로 7번째 구슬은 5개입니다.

pensées

pensées

∭우엠 **지식과상상** ^{since 2013}연구소

교재 소개 및 난이도 안내

		하	중	상
도형	도형 학습 스타트 **플라토**	6세 ~ 초6		
연산	연산의 새로운 기준 **칸토의 연산**	5세 ~ 초6		
	연산으로 상위권 점프 **응용연산**	6세 ~ 초6		
서술형	수학 실력은 결국 독해력 **수학독해**	6세 ~ 초6		
사고력	반드시 필요한 사고력만 **팡세**	6세 ~ 초6		
예비 초등 수학	쉽게, 빠르게, 재미있게 **구구단**			
	저학년 시간 학습 준비 끝 **시계와 달력**	5세 ~ 초2		
	꼭 알아야 할 실생활 수학 **길이와 화폐**			
	기초 튼튼, 개념 탄탄 **분수**			

Man is but a reed,
the most feeble thing in nature;
but he is a thinking reed,

"인간은 자연에서 가장 연약한 갈대에 불과하다.
하지만 인간은 생각하는 갈대이다."

Blaise Pascal, 블레즈 파스칼

초등 수학 교구 상자

펜토미노턴

평면 공간감각을 길러주는 회전 펜토미노 퍼즐

초등학생들이 어려워하는 '평면도형의 이동'을 펜토미노와 패턴블록으로 도형을 직접 돌려 보며 재미있게 해결하는 공간감각 퍼즐입니다.

큐브빌드

입체 공간감각을 길러주는 멀티큐브 퍼즐

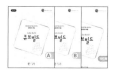

머릿속으로 그리기 어려운 입체도형을 쌓기나무와 멀티큐브를 이용하여 직접 만들어 위, 앞, 옆 모양을 관찰하고, 다양한 입체 모양을 만드는 공간감각 퍼즐입니다.

폴리탄

도형 감각을 길러주는 입체 칠교 퍼즐

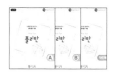

정사각형을 7조각으로 자른 '입체 칠교'와 직각이등변삼각형을 붙인 '입체 볼로'를 활용하여 평면뿐만 아니라 다양한 입체도형 문제를 해결하는 퍼즐입니다.

트랜스넘버

자유자재로 식을 만드는 멀티 숫자 퍼즐

자유자재로 식을 만들고 이를 변형, 응용하는 활동을 통해 연산 원리와 연산감각을 길러주는 멀티 숫자 퍼즐입니다.

머긴스빙고

수 감각을 길러주는 창의 연산 보드 게임

빙고 게임과 머긴스 게임을 활용하여 수 감각과 연산 능력을 끌어올리고 전략적 사고를 키우는 사고력 보드 게임입니다.

폴리스퀘어

공간감각을 길러주는 입체 폴리오미노 보드 게임

모노미노부터 펜토미노까지의 폴리오미노를 이용하여 다양한 모양을 만들어 보고, 여러 가지 땅따먹기 게임 등을 통해 공간감각을 기를 수 있는 보드 게임입니다.

큐보이드

입체를 펼치고 접는 전개도 퍼즐

여러 가지 모양의 면을 자유롭게 연결하여 접었다 펼치는 활동을 통해 정육면체, 직육면체 전개도의 모든 것을 알아보는 전개도 퍼즐입니다.